KB087921

Premium
SLAM
DUNK
슬램덩크 완전판 프리미엄
TAKEHIKO INOUE

06

● CONTENTS ●

Premium

● CONTENTS ●

깔보지 마라…!

우습게 봤다 이거지….

헉—

헉—

헉—

끝장 내주겠어….

망할 자식….

이젠 아무도 나를 말리지 못해…!!

넌 이제 끝이야!!

헉—

헉—

하앗—!!

…………!!

아…!

헤헤…. 뭐하는 거야?

용아 …!

저놈은
네 몫이다.

네 버릇 좀
고치려는
거니까.

시끄럿!

이봐,
다른
부원들은
상관없잖아!

그만둬!!

으아!!

아….

그렇구나,
송태섭.

후후후후후….
누가
계집애
같다고?!

임마!
너 계집애
같은
녀석!!

백호야,
그만둬!!

너 때문에
출전정지라도
당하면
곤란하겠지.

그건 싫지?
송태섭!!

농구부가
없어진다고….

태섭아…

출…

출전정지
…?!

체육관에서
농구부원들이
폭력사건….

들통나면
공식전은
출전정지…

잘못하면
농구부가
없어질 수도
있겠지.

네놈의 이빨은 부러지지도 않는구나.

아— 내 손만 아픈데!!

야비한 녀석….

농구부가 없어져…?!

!!

정대만!

아니,
그 반대편!

여기로
!!

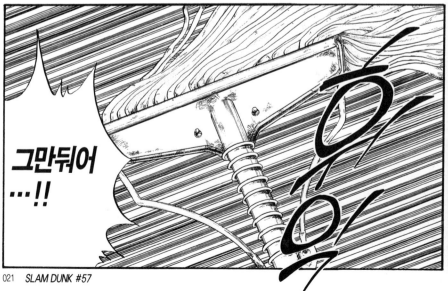

어지간히
하지 못해!!
이 녀석들!!

♯58 농구부 최후의 날

그보다 우선
그 더러운
신발부터
벗지 못해!!

시끄럿-!!
얼버무린다고
했잖아.
이 계집애
같은
놈아!!

하하하...
이미 각오는
되어 있는
모양이구나,
너희들!!

오늘이
농구부 최후의
날이다!!

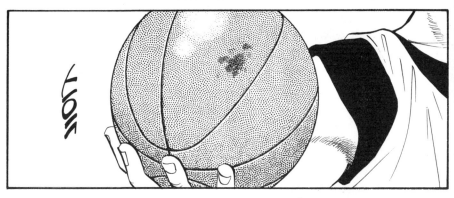

닭아!

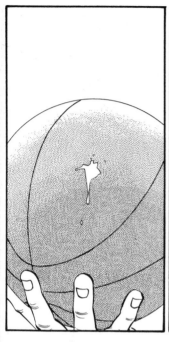

뭐… 뭐야, 넌?

부
….

올해는
좋은 신인도
들어왔고,
태섭이도
돌아왔고….

잘하면
좋은 성적을
낼 수 있을지도
몰라요.

시합이
얼마
안 남았어요.

뭐?

부탁입니다.
돌아가주세요.

부탁입니다!

전국대회에….

부탁입니다.
돌아가주세요.

부탁합니다.

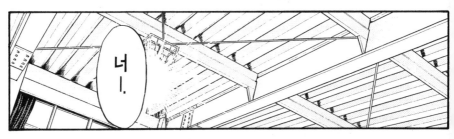

너ㅡ.

보기보다는
용기가 있구나.

태
...

태웅아,
안돼!
그만둬!!

태
...

뭐?

용서 못해!

질긴 놈인걸‥‥

#59 BURST

그러니까ー

채치수!

이 경우
A가 B에게 미치는
힘 f는…?

$$f = \frac{mk(\ell_0 - x)}{M + m}$$

좋아-!
연습
이다!!

맞았어!

힘내라,
치수야!

그럼 오늘은
여기까지!
다음주엔
59페이지까지
해오도록!!

그래!!

기합이 단단히
들어가 있어.
치수 녀석.

특히 올해는
3학년이니까…

시합이
얼마
안 남았잖아.

마지막
여름이거든!!

전국대회
나가면 좋겠다.

농구부…!!

욱?!

......

아야야...

으으으윽....

......

팔
부러져!!

아야야얏!
아파!!

정말
부러지겠어
-!!!

그만둬!!
서태웅
...!!

부러진다니까
-!!!

태웅아,
그만해!!

이러다
큰일나겠어.

한
나
!

젠장···!!

선배····

이놈이이!!!

태…!

태섭아!!

빌어먹을…

크…

큰일나버렸군….

큰일나
버리고
말았어….

!?

!!

태웅아…

태웅아!!

……………!!

♯60 그래서 어쨌다는 거냐

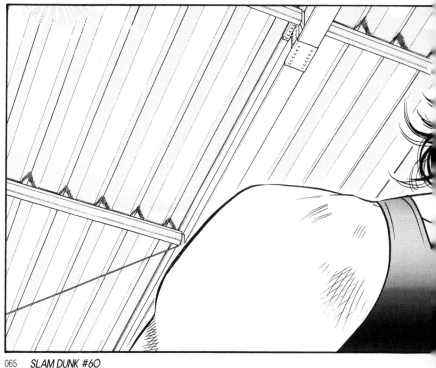

아···
앗···!

오일아!!

아앗?!

그만두지
못해!
너랑
상관없는
사람이잖아!

도망가,
신오일!!

!!

으악!!

센걸!!

저 녀석 강해!!

알고 있어….

멍청한 놈들…!

태섭아!!

그래서 어쨌다는 거냐?

결국
끝을
보겠다는
거냐!!

#61 정의의 사자

백호야…. 그놈은 세….

보통 녀석이 아냐!!

훗!

위험해!

안경 선배, 나서지 마! 모두 물러서 있어!!

네놈이
비겁하다는 건
알고 있으니까,
너무
티내지 마!

멍청한
녀석!!

픽가···

음···!!

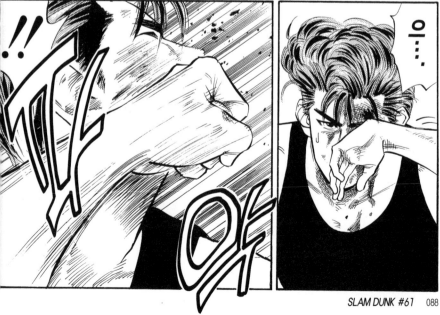

강해…!

엄청
강해…!!

어떻게
이럴
수가
…!

강백호…!

아
…!

!

모기가
있어!

볼따구니
하고….

배
하고
….

머리통을
물었어!!
어느
틈엔가….

가려운걸!!

앗!
벌써
시간이….

빨리 네놈을
없애버리고
연습해야겠어.

자아,
어서 덤벼!

너무
잘난 척하지
않는 게 좋아.
강백호!

하하!!

서태웅!

과다출혈이야!
태웅아,
움직이면
안돼!!

가만히
있어…"

비겁한
놈들…

덤벼라!!

자—
간다!

우왁?!

!!

!!

!!

빨리
내려!!

아뿔싸!
실패….

모처럼
멋진 등장
이었는데…!

하하하….
뭐하는 거야,
저 뚱뚱이!!

!!

♯62 백호군단

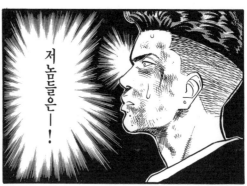

......

백호군단…?
뭐야,
이 웃기는
놈들은…?!

올해 들어온
1학년들이야.
해동중학
출신의
5인조….

1학년이라고?

저쪽은
몇 명이냐?

2
3
4
......

......

녀석들을
깔보지
않는 게 좋아.
대만아….

강백호!!

양호열!!

기타 등등

…전설의 해동중
바보 트리오가
바로
이 녀석들이야….

뭐어?!

웃지 마,
백호!
바보왕은
바로 너잖아!!

호열이, 너!
무슨 소리야!

꼬마놈들이
정말….
웃기고
있어…!!

뭐라고?!
누가
바보왕
이라고?!

이얏!!

!!

오오?!

이 영걸이를 깔보지 마라!!

이 돼지가…!!

그래가지고 나한테 이길 수 있을 것 같아!!

이봐, 도망가지 말라구. 악당 대장!!

엉…?

쳇! 1학년 따위가…. 네가 해치워!!

어서!!

뭐…?!

양호열….

난 상대가 없잖아. 네가 해줘!

· · · · · · · ·

부상자는 부상자끼리 사이좋게 하자.

!!

죽고 싶은게로구나….

이 꼬마가….

덤벼!

으...
아야야
...!

에구에구...
온몸이 쑤셔
죽겠는걸...!

이얍!!

아욱!

열지 못해!!

이봐!!

뭣들 하고
있는 거야!!

SLAM
슬램덩크 완전판 프리미엄
DUNK

#63 두 번 다시
오지 않겠다고

역시….

싸움의 프로야.

철이형….

백호야…!!

저렇게 센 놈은 처음 본다…!!

저 녀석, 싸움에 익숙해져 있어….

크악!!

농구부도 아니면서…

이런…
젠장…!
대체 뭐야?
넌…!!

웬
사섭이야!
이 자식!!

윽!!

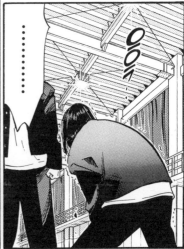

이 체육관에는
두 번 다시
오지 않겠다고
말야.

백호야!!

♯64 정대만

크윽...

부들

철아!!

지금 것은
오일이
것이야!

다음은
병욱이 몫!

····················

!!

그리고
이건….

강백호와 양호열…
이놈들이
이렇게까지
셀 줄이야…!!

둘 다 맞아
죽겠어…!!
철이도 대만이도…
이러다
진짜 죽겠어!!

언제까지 이런데
있을 이유가 없어!!
그만 돌아가!!

돌아가자,
대만아!!

자아,
어서 말해!
두 번
다시 오지
않겠다고
…

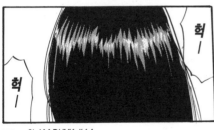

헉―

헉―

이
주동자야!!

크악!!

정말로
끝장을
봐야겠냐?

대만아!!

······

···정대만···?!

송태섭 건은
이제 끝났잖아!!
녀석은 이미
엉망진창이
됐잖아!!

왜···
왜 그렇게
집착하는
거냐?
대만아!!

준호 형!

그만해!

이제 됐다…

이젠 그만해도 되겠지…!

하아.

하아.

하아.

아직이야
……

……
!!

다음은
담배불로
지진 볼과

부러진
걸레의
몫!

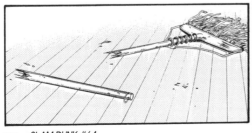

강해…．

너무
강해…!!

♯65 신발 벗어

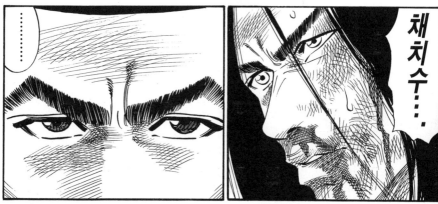

치수
선배….

전부
내
책임….

입다물어,
송태섭!

……

아는
사인가?

음….

안경
선배도?

준호형도
아는 것
같았어….

이봐요.
안경 선배!

농구부원이야.

뭐···?!

……
……

대만 선배가….

정말 농구부…?!

안경선배, 정말이야?

거…

거짓말이지?

무석중학의 정대만을 모르는 사람은 없었어….

우리들 학년에서 농구하는 사람치고

거짓말…!!

무석 중학은 반드시 이긴다!

이 수퍼스타 정대만이 있는 한!!

대만아!!

음…. 우리 공립이니까….

안선생님, 가로채면 안됩니다.

후후후…. 3년… 아니, 2년 후면 능남의 시대가 온다!!

그러나 농구 센스만은 진짜야!! 정대만, 너는 우리 능남고가 데려가마!!

하하하…. 대만이 녀석!! 아직도 큰소리 치는군!!

닥쳐,
권준호!!

권준호,
너도
쫓아버릴
거다!!

쓸데없는
소린
집어치란
말야!!

꽉

알겠어?!

얍

흥!

없애...

짝짝
없!

너도
북산고에
…?!

우와아

웬 유명선수~!

정대만!!

유명인은
달라!!

역시
정대만이야.

너무 추켜
세우지 마,
너희들!!

하하!

대만이는
강호 해남대부속
이라든지
상양, 능남 등의
유혹을 뿌리치고
북산을 지망했어.

천재는
역시
다르구나.

북산고
선배들도 깜짝
놀랄 거야.
중학 MVP
(최우수 선수)가
들어왔으니!!

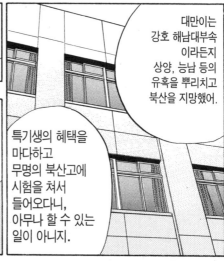

특기생의 혜택을
마다하고
무명의 북산고에
시험을 쳐서
들어오다니,
아무나 할 수 있는
일이 아니지.

으으…

또 우린 3년간 조연 신세겠군.

준호 너두 그렇구!

우리가 북산을 강하게 만들자! 이번엔 전국제패를 하는 거야!!

무슨 소리 하는 거야, 너희들! 좋은 조연이 없으면 주연 역시 살아나지 않잖아!!

하고 말 거야!!

내가 북산을 강하게 만들 거야!!

중학교때 우리 농구부 주장도 입버릇처럼 그 얘길 했어….

전국제패….

좋았어!!

그래 — 체육관으로 가자!!

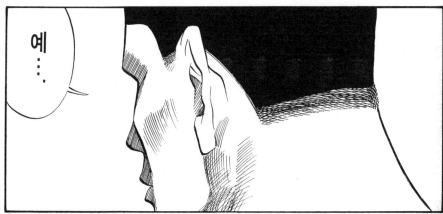

♯67 전국제패

193cm 88kg
포지션은
센터입니다!!

1학년 1반
채치수.
북촌중학
출신입니다.

193
...!!

다음!

잘 부탁
드립니다!!

1학년 3반
권준호!!
같은 북촌중학
출신입니다!!

덩커
채치수!

고릴라!

좋았어
~~~~!

193
!!

드디어
북산에도
190 대가
들어왔군
~~!!

진짜
고1 이냐,
너~?!

안선생님…!!

응?!

SHOHOKU HIGH SCHOOL BASKETBALL CLUB

대만아!

좋아, 다음!!

……

뭐? 정말 이야?!

중학 최우수선수!

아, 정대만 이군…

정대만이다…

아마 너희들보다 잘할걸?! 하하하!!

전……

전국제패…!!

치수 너랑
같구나!
전국제패!!

훗훗….
그래요.

역시
달라!

MVP는
말하는 것부터
틀린걸!

실감이
안 나는데!

우리
가…?

전국제패‥

시합해
보도록!

!!

그럼
1학년끼리
둘로
나누어서….

신입부원은
모두 합쳐서
12명입니다

음
….

우리 무석중
멤버에서!

대만이만
저쪽이구나.

음
...

우와… 크다!!

패스 하기가 쉽겠어!!

엇?!

시끄럿!

쿵

엌쿵 무쥐야 그런 플레이~!

치수야…. 그런 되지도 않는 플레이를….

적에게 말걸지 마!

돌… 돌아가!!

백코트!!

자, 오너라!!

또 넣었다!!

쳇···!

!!

치수는 드리블이 서툴러!!

커트해! 커트ㅡ!

제장....

치수야!!

볼 운반은
내가 할게!
포스트
부탁해!!

이봐~
차면
안돼—!

뭐하는
거냐?
채치수!!

…고릴라도 그런 때가 있었나…!!

쓸데없는 얘길…!!

그만해, 준호야!!

헤헤헤~ 저 고릴라가…

뜻밖인걸!

가만안둬!!

아… 그래!!

대만이의 슛은 정말 대단했어…!

그때는
상상도
못했어.

대만이가
이렇게
되다니…!

#68 정대만 15세

난
안져!!
절대로
안져!!

똑같은
1학년
이잖아!!

오너라,
고릴라!!

간다,
정대만!

치수야….

재미있군!! 막을 수 있거든 막아보시지!

고릴라야.

그렇게 해주지!! 내가 막는다!!

정대만은 내가 맡는다!!

오오, 불이 붙었어!!

재미있어졌다!!

힘내라~!!

좋아ー! 나는 14번!!

8번 마크!!

난 6번이다!!

나
이
스
숏
!!

빌
어
먹
을
…
!!

페인트에
속았어!!

대만이는
정말
잘 들어가는
군요!!

바로
에이스가
될 것
같은데요!

음···

자,
수비다!
하나
막자!!

이 두 사람이 있는
팀에서
농구를 하다니….
전국제패도
꿈이 아닐지 몰라…!!
좋았어, 3년동안
파이팅이다!!

굉장해….
치수 역시
굉장한
녀석이야….

원샷
—!!

채치수는
(당시)
프리스로가
서툴렀다.

첫!
시끄러워
죽겠네…

MVP에
이기면
주스 한잔
사주마!!

MVP를
상대로
잘하고
있어!!

괜찮아!
신경쓰지마.
채치수!!

파이팅~

이겨라
~!!

힘내라,
채치수!!

하하…
맞어,
맞어!

내겐
정대만이란
이름이 있단
말야…!!

MVP,
MVP
하지마….

그것도
슈터의
조건이지!!

볼을 가지고
있지 않을 때
어떻게 움직여서
프리가 되는가!!

SLAM
슬램덩크 완전판 프리미엄
DUNK

슬램덩크 완전판 프리미엄 6

2007년 9월 23일 1판 1쇄 발행   2023년 2월 14일 2판 3쇄 발행

•

저자 ······ TAKEHIKO INOUE

•

발행인 : 황민호
콘텐츠1사업본부장 : 이봉석
책임편집 : 김정택/장숙희
발행처 : 대원씨아이(주)

•

서울특별시 용산구 한강대로 15길 9-12
전화 : 2071-2000 FAX : 797-1023
1992년 5월 11일 등록 제 1992-000026호

•

©1990-2022 by Takehiko Inoue and I.T.Planning, Inc.

ISBN 979-11-6944-800-0 07830
ISBN 979-11-6944-793-5 (세트)

•

• 이 작품은 저작권법에 의해 보호를 받으며 본사의 허가 없이
복제 및 스캔 등을 이용한 온·오프라인의 무단 전재 및 유포·공유의 행위를 할 경우
그에 상응하는 법적 제재를 받게 됨을 알려드립니다.
• 잘못 만들어진 책은 구입하신 곳에서 바꾸어 드립니다.
• 문의 : 영업 02-2071-2075 / 편집 02-2071-2116

SLAM
슬램덩크 완전판 프리미엄
DUNK